中华人民共和国国家标准

选矿机械设备工程安装规范

Code for installation of mineral processing
equipment engineering

GB/T 51075-2015

主编部门：中　国　冶　金　建　设　协　会
批准部门：中华人民共和国住房和城乡建设部
施行日期：２０１５年９月１日

中国计划出版社

2015　北　京

中华人民共和国国家标准
选矿机械设备工程安装规范
GB/T 51075-2015

☆

中国计划出版社出版
网址:www.jhpress.com
地址:北京市西城区木樨地北里甲11号国宏大厦C座3层
邮政编码:100038　电话:(010)63906433(发行部)
新华书店北京发行所发行
三河富华印刷包装有限公司印刷

850mm×1168mm　1/32　2.25印张　54千字
2015年5月第1版　2015年5月第1次印刷
☆
统一书号:1580242·630
定价:14.00元

版权所有　侵权必究
侵权举报电话:(010)63906404
如有印装质量问题,请寄本社出版部调换

中华人民共和国住房和城乡建设部公告

第701号

住房城乡建设部关于发布国家标准 《选矿机械设备工程安装规范》的公告

现批准《选矿机械设备工程安装规范》为国家标准，编号为GB/T 51075—2015，自2015年9月1日起实施。

本规范由我部标准定额研究所组织中国计划出版社出版发行。

中华人民共和国住房和城乡建设部
2014年12月31日

前 言

本规范是根据原建设部《关于印发〈2006年工程建设标准规范制订、修订计划(第二批)〉的通知》(建标〔2006〕136号)的要求,由中国三冶集团有限公司会同有关单位共同编制完成的。

本规范在编制过程中,规范编制组进行了调查研究,总结了近20年来选矿机械设备工程安装及验收经验,广泛征求了有关单位和专家的意见,对规范条文反复讨论修改,最后经审查定稿。

本规范共分9章,包括总则,术语,基本规定,设备基础、地脚螺栓和垫板,设备和材料进场,破碎粉磨及筛分设备,分级及选别设备、脱水设备、给矿排矿设备等。

本规范由住房和城乡建设部负责管理,由中国冶金建设协会负责具体管理,由中国三冶集团有限公司负责具体技术内容的解释。执行过程中如有意见或建议,请寄送中国三冶集团有限公司(地址:辽宁省鞍山市铁东区对炉街4号;邮政编码:114003;E-mail:syjzgtx@163.com;传真:0412-6317005)。

本规范主编单位、参编单位、主要起草人和主要审查人:

主 编 单 位:中国三冶集团有限公司
参 编 单 位:中国二十二冶集团有限公司
鞍钢集团矿业公司齐大山铁矿
主要起草人: 王　宏　　关铁兴　　张世宇　　李宗威　　李志远
朱小川　　崔崇国　　王希武　　孙秀霞　　张国庆
李义娥
主要审查人: 刘光明　　崔慧川　　鲁福利　　范清厚　　张光烈
宫香涛　　武振海　　刘　禹　　景思郁

目 次

1 总　则 …………………………………………………… (1)
2 术　语 …………………………………………………… (2)
3 基本规定 ………………………………………………… (3)
4 设备基础、地脚螺栓和垫板 …………………………… (5)
　4.1 一般规定 …………………………………………… (5)
　4.2 设备基础 …………………………………………… (5)
　4.3 地脚螺栓 …………………………………………… (5)
　4.4 垫板 ………………………………………………… (6)
5 设备和材料进场 ………………………………………… (7)
　5.1 一般规定 …………………………………………… (7)
　5.2 设备 ………………………………………………… (7)
　5.3 材料 ………………………………………………… (8)
6 破碎粉磨及筛分设备 …………………………………… (9)
　6.1 一般规定 …………………………………………… (9)
　6.2 颚式破碎机 ………………………………………… (9)
　6.3 旋回破碎机 ………………………………………… (10)
　6.4 圆锥破碎机 ………………………………………… (11)
　6.5 磨矿机 ……………………………………………… (13)
　6.6 高压辊磨机 ………………………………………… (17)
　6.7 振动筛 ……………………………………………… (18)
7 分级及选别设备 ………………………………………… (20)
　7.1 一般规定 …………………………………………… (20)
　7.2 螺旋分级机 ………………………………………… (20)
　7.3 水力旋流器 ………………………………………… (22)
　7.4 细筛 ………………………………………………… (22)

· 1 ·

7.5	筒式磁选机	(23)
7.6	转笼式磁选机	(23)
7.7	环式磁选机	(25)
7.8	磁力脱水槽	(26)
7.9	浮选机	(26)
7.10	跳汰机	(28)
7.11	摇床	(28)
7.12	离心选矿机	(29)
7.13	螺旋选矿机、螺旋溜槽	(30)

8 脱水设备 (31)
　8.1 一般规定 (31)
　8.2 中心传动式浓缩机 (31)
　8.3 周边传动式浓缩机 (31)
　8.4 筒型内滤式真空过滤机 (33)
　8.5 外滤式过滤机 (34)
　8.6 压滤机 (35)

9 给矿排矿设备 (37)
　9.1 一般规定 (37)
　9.2 矿车翻车机 (37)
　9.3 板式给矿机 (39)
　9.4 电磁、电机振动给矿机 (40)
　9.5 圆盘给矿机 (41)
　9.6 槽式给矿机 (41)
　9.7 链式、摆式给矿机 (41)
　9.8 排矿闸阀 (41)
　9.9 给矿排矿设备试运转 (41)

本规范用词说明 (43)
引用标准名录 (44)
附：条文说明 (45)

Contents

1 General ··· (1)
2 Terms ·· (2)
3 Basic provision ··· (3)
4 Equipment foundation, anchor bolts and base plate ··· (5)
    4.1 General provision ·· (5)
    4.2 Equipment foundation ·· (5)
    4.3 Anchor bolts ·· (5)
    4.4 Base plate ··· (6)
5 Equipment and material approach ······························· (7)
    5.1 General provision ·· (7)
    5.2 Equipment ··· (7)
    5.3 Material ·· (8)
6 Crushing grinding and sieving equipment ···················· (9)
    6.1 General provision ·· (9)
    6.2 Jaw crusher ··· (9)
    6.3 Cycle crusher ··· (10)
    6.4 Taper crusher ·· (11)
    6.5 Ore mill ·· (13)
    6.6 High pressure roller grinding ·· (17)
    6.7 Vibration sieve ··· (18)
7 Classifying and sorting equipment ······························ (20)
    7.1 General provision ··· (20)
    7.2 Spiral classifier ·· (20)
    7.3 Hydrocyclone ·· (22)
    7.4 Fine sieving ·· (22)

7.5	Barrel-type magnetic separator	(23)
7.6	Turn cage magnetic separator	(23)
7.7	Ring-type magnetic separator	(25)
7.8	Magnetic dewatering tank	(26)
7.9	Flotator	(26)
7.10	Jigger	(28)
7.11	Swing bed	(28)
7.12	Centrifugation concentrating machine	(29)
7.13	Spiral concentrating machine, spiral chute	(30)
8	Dewatering equipment	(31)
8.1	General provision	(31)
8.2	Center drive-type concentrator	(31)
8.3	Circum drive-type concentrator	(31)
8.4	Tube internal filtering vacuum filter	(33)
8.5	External filtering vacuum filter	(34)
8.6	Pressure filter	(35)
9	Feeding and ore drawing equipment	(37)
9.1	General provision	(37)
9.2	Tramcar dumper	(37)
9.3	Plate-type feeder	(39)
9.4	Electromagnetic and motor vibration feeder	(40)
9.5	Disk feeder	(41)
9.6	Chute feeder	(41)
9.7	Chain and pendulum feeder	(41)
9.8	Ore drawing gate	(41)
9.9	Feeding and ore drawing equipment running-in	(41)
Explanation of wording in this code		(43)
List of quoted standards		(44)
Addition: Explanation of provisions		(45)

1 总 则

1.0.1 为提高冶金矿山选矿厂选矿机械设备工程安装的质量,保证工程安全,制定本规范。

1.0.2 本规范适用于冶金矿山选矿厂的破碎粉磨、筛分、分级、选别、脱水、给矿排矿机械设备安装。

1.0.3 选矿机械设备工程安装除应符合本规范的规定外,尚应符合国家现行有关标准的规定。

2 术 语

2.0.1 找正 aligning

调整设备及零部件的位置、相关状态应符合设计和规范规定的过程。

2.0.2 着色法 dye method

在机械部件接触面上涂抹或贴有色物料,检查接触面的接触情况,并以此确定有关部件制造、装配、安装质量的方法。

2.0.3 刮研 scraping

用工具从零部件接触面刮去较高点,反复进行表面处理的方法。

2.0.4 联检 joint inspection

由建设单位或总承包单位、监理单位及施工单位对已经安装完毕的机械设备实施的联合检查。

3 基本规定

3.0.1 施工应有设计文件及图纸,应进行图纸自审、会审和设计交底。设备安装应符合设计文件的规定。

3.0.2 选矿机械设备工程安装应编制施工组织设计等技术文件。

3.0.3 施工图纸修改应有设计单位的设计变更通知书或技术核定签证。

3.0.4 用于质量检查的计量器具,应具有相应的产品合格证,应在检测周期内使用。

3.0.5 焊接工作开始前应提供焊接工艺评定,应根据合格的焊接工艺评定报告编制焊接工艺规程。

3.0.6 机械设备安装场地的施工道路应畅通,施工用水源、电源、风源等应具备使用条件。

3.0.7 机械设备基础的质量应符合现行国家标准《混凝土结构工程施工质量验收规范》GB 50204 的有关规定,应有验收资料和记录。

3.0.8 选矿机械设备安装工程施工应按规定的程序进行,相关各专业之间应交接检验,形成记录。每道工序完成后,应进行自检、专检和联检检查,并应形成记录。上道工序没有检验验收,不得进行下道工序施工。

3.0.9 隐蔽工程中,隐蔽部位自检后应报验,合格后进行下道工序施工。

3.0.10 冬、雨期施工应编制专项方案。

3.0.11 设备试运转应符合下列规定:

    1 试运转前,应编制试运转方案;

    2 试运转区域应设置警戒线及警示牌;

3 设备安全保险装置应完整、动作可靠；

4 液压、润滑和冷却水系统应运行正常；

5 各转动部件的运转应平稳,无异常声音,紧固件不得有松动现象；

6 滑动轴承温升不应超过35℃,最高温度不应超过70℃；滚动轴承温升不应超过40℃,最高温度不应超过80℃；

7 各转动部件应运转正常,轴承温度稳定后,试运转时间不应少于2h；

8 无负荷试运转后,应检查连接螺栓有无松动现象并紧固。

4 设备基础、地脚螺栓和垫板

4.1 一般规定

4.1.1 本章适用于选矿机械设备工程基础、地脚螺栓和垫板安装。

4.1.2 选矿机械主体设备基础应按设计要求进行沉降观测,形成记录。

4.2 设备基础

4.2.1 设备安装前应进行基础的检查验收,合格后进行设备安装。

4.2.2 设备基础应进行外观检查,应清除其表面和地脚螺栓预留孔中的油污、积水和杂物;预埋地脚螺栓的螺纹和螺母应保护完好。

4.2.3 设备基础应进行实测检查,中心线、标高、尺寸、地脚螺栓及预留口位置应符合设计文件及现行国家标准《混凝土结构工程施工质量验收规范》GB 50204 的有关规定。

4.2.4 基础应有测量资料,应进行交接。

4.2.5 设备基础应绘制中心线和标高基准点布置图,并应设置中心标板和标高基准点。主体设备和连续生产设备应埋设永久中心标板和标高基准点。

4.3 地脚螺栓

4.3.1 地脚螺栓的规格和紧固力应符合设计要求。设计无规定时,应符合现行国家标准《机械设备安装工程施工及验收通用规范》GB 50231 的有关规定。

4.3.2 地脚螺栓上的油污和氧化皮等应清除干净,螺纹部分应涂适量油脂。

4.3.3 预留孔地脚螺栓安设时,应处于自由垂直状态,与孔壁应有 15mm 以上的间隙,且不得触碰孔底。

4.4 垫 板

4.4.1 设备垫板的设置、尺寸和安装精度应符合设计文件要求,设计无规定时应符合现行国家标准《机械设备安装工程施工及验收通用规范》GB 50231 的有关规定。

4.4.2 采用座浆法设置垫板时,座浆混凝土 48h 的强度应达到基础混凝土的设计强度。应逐批检查座浆试块强度试验报告。

4.4.3 采用研磨法设置垫板时,应彻底清除安装垫板处表面的浮浆层,处理安放垫板的部位,<u>应使垫板达到水平度要求且与基础均匀接触</u>。

4.4.4 平垫板和斜垫板组成的垫板组,斜垫板应放置在平垫板之上成对使用。每组垫板不宜超过 5 块。

4.4.5 经加工的垫板,垫板之间、垫板与设备底座之间应接触良好。使用塞尺检查,局部间隙不得大于 0.1mm,接触面积应大于 70%。

5 设备和材料进场

5.1 一般规定

5.1.1 本章适用于设备和材料的进场要求。

5.1.2 施工单位应编制设备和材料进场计划,并应有序组织设备和材料进场。

5.2 设 备

5.2.1 设备进场后,开箱检验应符合下列规定:

    1 开箱检验应由建设单位或总承包单位、监理单位、设备制造商及施工单位人员参加,应办理设备交接手续,形成记录;

    2 应依照设计文件及装箱单核对设备的规格、型号及数量;

    3 设备表面应无瑕疵、无损伤、无锈蚀;

    4 设备应有合格证,进口设备应有商检合格证;

    5 开箱后应对设备进行妥善保管。

5.2.2 设备技术资料及业主单位资产的使用和管理应符合下列规定:

    1 应进行清点和验收,并应形成清单;

    2 设备配套的电气、仪表等设备应移交到相应专业单位管理;

    3 安装使用的专用工具,应在使用完毕后依照清单移交给业主单位;

    4 备品、备件等应及时移交。

5.2.3 设备搬运和吊装时,吊装点应设在设备或包装箱标识的位置,应有保护措施,不得因搬运和吊装造成设备损伤。

5.3 材 料

5.3.1 材料进场检验应符合下列规定:
   1 检查材料的质量证明文件,其型号、规格、数量、性能应符合设计文件规定,应形成检查记录;
   2 设计文件有复验要求的,应按规定进行复验。

5.3.2 不合格材料不得使用,应进行标识并存放在不合格品区域。

6 破碎粉磨及筛分设备

6.1 一般规定

6.1.1 本章适用于矿石破碎粉磨及振动筛机械设备安装。

6.1.2 本章设备零部件的装配,应符合设备技术文件和现行国家标准《机械设备安装工程施工及验收通用规范》GB 50231 的有关规定。

6.2 颚式破碎机

6.2.1 机座组装应符合下列要求:

1 接合面间的定位销应全部安装,结合面连接螺栓紧固力矩应符合设备技术文件要求;拧紧时应次序对称,用力均匀;

2 纵、横向中心线最大允许偏差应为 3.0mm;

3 标高允许偏差应为 ±5.0mm;

4 纵向水平度最大允许偏差应为 0.5/1000;

5 横向水平度最大允许偏差应为 0.15/1000,且应在主轴上测量。

6.2.2 安装在机座上的部件,应在机座找平找正、拧紧地脚螺栓后组装。

6.2.3 动颚组装时,轴瓦与轴颈的配合应符合下列规定:

1 接触弧面应为 100°～120°;

2 接触面上的接触点在 25mm×25mm 面积内不应少于 1 个点;

3 顶间隙应为轴颈直径 d 的 0.1‰～0.15‰。

6.2.4 主轴轴瓦刮研,轴瓦与轴径的配合应符合下列规定:

1 接触角应为 100°～120°;

2 在 25mm×25mm 面积内的接触点,巴氏合金瓦不应少于 2 个点,铜轴瓦不应少于 3 个点;

3 顶间隙应为轴颈直径的 0.1%～0.15%;

4 侧间隙应为顶间隙的 0.5 倍～1.0 倍。

6.2.5 推力板与支承滑块间接触的总长度不应小于板长的 60%,且应分布均匀。如有局部间隙,每段长度不得大于板长的 10%。

6.2.6 试运转应符合下列规定:

1 无负荷试运转应符合本规范第 3.0.11 条的规定;

2 在试运转之前连杆应处于最高位置;

3 具有保险装置的颚式破碎机,应按设备技术文件的规定调整保险装置,合格后方可进行试运转;

4 复摆式颚式破碎机的转动方向应符合设备技术文件的规定;

5 试运转时,皮带不得啃边、打滑;各紧固件、连接件不得松动。

6.3 旋回破碎机

6.3.1 设备安装应符合下列规定:

1 纵、横中心线最大允许偏差应为 2.0mm;纵、横水平度最大允许偏差应为 0.1/1000;标高允许偏差应为±2.0mm;

2 动锥偏心轴套与衬套、衬套与中心套筒的装配应符合设备技术文件规定;

3 动锥与衬板之间应浇铸锌合金,并应确保衬板与锥体紧密结合;

4 固定锥与衬板之间应浇铸锌合金或水泥,并应确保衬板与锥体紧密结合;

5 固定锥所处的中部机架与机座的法兰端面间隙,沿圆周应均匀,其最大允许偏差应为 0.3mm,连接螺栓应均匀拧紧,用塞尺

检查,插入深度应小于 20mm;

6 横梁与中部机架的法兰端面间隙应均匀,用塞尺检查不得大于 0.3mm;连接螺栓应均匀拧紧。

6.3.2 试运转应符合下列规定:

1 无负荷试运转应符合本规范第 3.0.11 条的规定;

2 动锥自转转数不得大于 9r/min。

6.4 圆锥破碎机

6.4.1 设备安装应符合下列规定:

1 纵、横中心线最大允许偏差应为 2.0mm;纵、横水平度最大允许偏差应为 0.1/1000;标高允许偏差应为 ±2.0mm;

2 偏心套、止推轴承或止推垫等装配部件安装前,应彻底清洗接触配合表面,应在配合表面均匀涂抹润滑油脂后进行装配;

3 支承套安装前,应检查支撑套与机座上部凸缘配合部位的接触配合情况,斜面接触应严密、平整,平面度最大允许偏差应为 0.3mm;机座与支承套接触部位的梯形上部应有 5mm~10mm 的间隙;

4 采用弹簧保险装置时,弹簧安装压缩量应一致,且应符合设备技术文件规定;采用液压保险装置时,系统压力应符合设计文件规定;

5 传动装置采用滑动轴承时,传动轴的轴向游动间隙宜为 0.8mm~1.6mm;采用静、动压轴承时,传动轴的轴向游动间隙应符合设计文件的规定;

6 止推轴承或止推垫应按设备技术文件规定的顺序安装。应在偏心套及底板安装固定后,再装入机座衬套内,并应确保底板落于止推轴承或止推垫上;

7 偏心套与机座衬套之间的配合间隙 a 及锥形衬套与破碎圆锥主轴的上、下配合间隙 b、c(图 6.4.1-1)应符合表 6.4.1 规定。尼龙套的配合间隙应符合设备技术文件的规定;

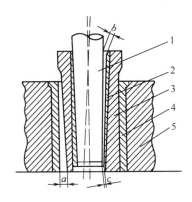

图 6.4.1-1 锥形衬套与破碎圆锥主轴及偏心套与机座衬套之间的间隙
1—破碎圆锥主轴;2—锥形衬套;3—偏心套;4—机座衬套;5—机架

表 6.4.1 偏心套与机座衬套之间的配合间隙及
锥形衬套与破碎圆锥主轴的间隙(mm)

机器规格	间 隙		
	a	b	c
600	2.0～2.5	2.2～2.7	6～7
900	2.2～2.7	2.3～2.8	8～9
1200	2.5～3.0	2.4～3.0	8～9
1750	3.0～3.6	2.9～3.6	9～10
2200	4.0～4.6	3.8～4.6	10～11

8 圆锥破碎机与碗形轴承配合(图 6.4.1-2)时,破碎圆锥球面与碗形轴承的外圆接触宽度 a 应为 $0.3R～0.5R$,沿内圆周应有楔形间隙。接触面上的接触点数,在每 25mm×25mm 的面积内不应少于 1 个;

9 固定圆锥安装时,排矿间隙应达到设备技术要求;

10 调整固定锥升降调整装置的推动缸和锁紧缸,其柱塞与导向套间的径向间隙应符合设备技术文件的规定。

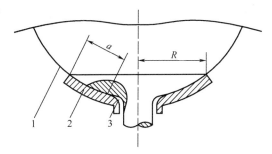

图 6.4.1-2 破碎圆锥与碗形轴瓦的配合
1—破碎圆锥球面;2—碗型轴承;3—楔形间隙

6.4.2 试运转应符合下列规定:

1 无负荷试运转应符合本规范第 3.0.11 条的规定;

2 试运转应在调整环上面部件未安装前进行;

3 各转动部件的运转应平稳,无异常现象,衬板不得松动;

4 破碎圆锥的自转转速应符合设备技术文件的规定。

6.5 磨 矿 机

6.5.1 主轴承底板安装应符合下列规定:

1 两底板横向中心距小于 5000mm 时,纵、横向中心线允许偏差应为±1.0mm;中心距为 5000mm～10000mm 时,纵、横向中心线允许偏差应为±1.5mm;中心距大于 10000mm 时,纵、横向中心线允许偏差应为±2.0mm;

2 两轴承底板的水平位置最大允许偏差应为 1.0mm;横向中心线间距的最大允许偏差应为 0.5mm;

3 主轴承底板的水平度最大允许偏差应为 0.1/1000;两底板的相对标高最大允许偏差应为 0.5mm,并应确保进料端高于出料端。

6.5.2 主轴承座安装应符合下列规定:

1 主轴承与轴承底板四周应均匀接触,用塞尺检查,局部间隙不得大于 0.1mm；

2 两主轴承座同轴度最大允许偏差应为 1.0mm。

6.5.3 主轴瓦的球面与轴承座球面的接触应良好、转动灵活，其装配应符合下列规定：

1 两配合球面的四周应留有楔形间隙，其深度宜为 25mm～50mm，边缘间隙宜为 0.2mm～1.5mm；

2 两配合球面的周向接触包角不应小于 45°；轴向接触宽度不应大于球面座宽度的 1/3，且不得小于 10mm；

3 接触面的接触斑点分布应均匀连续；

4 装配主轴承与轴承座时，在轴承的球面上，可均匀地涂上掺有石墨的润滑油或二硫化钼润滑脂；

5 当配合接触不符合本条第 2、3 款的要求时，应在接触带范围内进行刮研；其接触斑点的分布应均匀连续，间距不应大于 15mm。

6.5.4 主轴瓦与中空轴装配时，应符合下列规定：

1 接触角应符合设计文件的规定，设计无规定时宜为 70°～90°；

2 除静、动压轴承外，轴承刮研后，其接触面上的接触点数在每 25mm×25mm 面积内宜为 2 个～4 个。

6.5.5 主轴瓦冷却水系统及高压油系统压力试验应符合现行国家标准《工业金属管道工程施工规范》GB 50235 的有关规定。

6.5.6 筒体、端盖安装应符合下列规定：

1 筒体与端盖在组装前应进行检查；无设计文件规定时，筒体表面的直线度偏差不应大于筒体总长度的 0.1%，筒体两端的圆度偏差不应大于筒体直径的 0.15%；

2 组装筒体与端盖时，应将结合面清理洁净；结合面的接触应紧密，不得加入任何调整垫片；

3 筒体与端盖应按出厂时的标记进行组装，定位销应全部装入，符合组装要求后应将螺栓均匀拧紧。

6.5.7 两中空轴检查时,应符合下列规定:

1 两中空轴的轴肩与主轴承间的轴向间隙,应符合设备技术文件的规定;

2 两中空轴的上母线的相对标高最大允许偏差应为1.0mm;两中空轴的安装水平度最大允许偏差应为0.2/1000,进料端应高于出料端,高低差应符合设备技术文件规定;

3 两中空轴的轴线应在同一直线上,用百分表在主轴承端面上间接检测,主轴承的端面跳动(图6.5.7)应符合表6.5.7的规定。

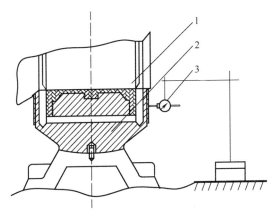

图6.5.7 主轴承端面圆跳动
1—中空轴;2—主轴承;3—百分表

表6.5.7 主轴承的端面圆跳动(mm)

两主轴承中心线间的距离	筒体直径		
	900~1500	2100~2700	≥3200
	端面圆跳动不超过		
≤5000	0.6	0.8	1.0
>5000~10000	0.7	0.9	1.1
>10000	0.8	1.0	1.2

6.5.8 齿圈安装应符合下列规定：

1 整体的齿圈应先将齿圈安装在筒体上，再将筒体安装在主轴承上；拼合的齿圈应先将筒体安装在主轴承上，再将齿圈安装在筒体上；

2 应清洗、处理齿圈的加工表面及与筒体相联接的法兰表面，并应确保齿圈端面与筒体法兰紧密贴合，其间隙不得大于0.15mm；

3 啮合齿圈对接处的间隙不宜大于0.10mm；

4 啮合齿圈对接处的周节应符合设备技术文件的规定，其允许偏差应为±0.005模数；

5 齿圈的径向跳动，每米节径不应超过0.25mm；

6 检查齿圈的端面圆跳动，每米节径不宜超过0.35mm。

6.5.9 衬板和格子板安装应符合下列规定：

1 当装配具有方向性的衬板时，其方位和位置应符合设备技术文件的规定；

2 衬板在筒体内部的排列不应构成环形间隙，湿法作业可采用木楔充填，干法作业可采用铁楔或水泥等材料充填，相邻衬板的间隙不得大于15mm；

3 固定衬板的螺栓应垫密封垫料和垫圈；

4 装配格子板时，应使筛孔的大端朝向出料口。

6.5.10 传动装置安装时，应以磨机轴线为基准调整传动装置，应使小齿轮与磨机大齿轮啮合侧间隙、顶间隙和接触情况符合设计文件和现行国家标准《机械设备安装工程施工及验收通用规范》GB 50231的有关规定。

6.5.11 在齿轮罩组装后，不应有漏油和与齿轮碰撞的现象。

6.5.12 在干式磨矿机进料漏斗或风扫式磨矿机进料管组装时，接触处应密封良好，不漏粉尘；接触处为旋转的，其转动应灵活。

6.5.13 试运转应符合下列规定：

1 无负荷试运转应符合本规范第 3.0.11 条的规定；

2 试运转时,首次运转 15min 后应停车检查,确认正常后应冷却 30min；第二次运转 30min 后应停车检查,确认正常后应冷却 30min；第三次运转应连续 2h,期间应每 30min 测量一次各部位的温度、电流、电压、转速和振动情况；

3 试运转时,衬板不应出现敲击声。

6.6 高压辊磨机

6.6.1 底座安装应符合下列规定：

1 底座安装就位后,应使用塞尺检查底座与垫铁接触面的间隙,间隙应小于 0.05mm,接触面积不得小于 80%；

2 调整两个底座的标高和水平度,使标高允许偏差应为 ±0.5mm,水平度最大允许偏差应为 0.05/1000；

3 螺栓预紧力应符合设计文件及现行国家标准《机械设备安装工程施工及验收通用规范》GB 50231 的有关规定。

6.6.2 机架安装应符合下列规定：

1 机架安装就位后,应紧固机架与底座的连接螺栓,并应检查底座与机架的接触情况,使用 0.05mm 塞尺不能塞入为合格；

2 应清洗机架的辊子滑轨,应无毛刺和损伤,且应确保滑轨面干净；

3 在工作表面检查水平度,最大允许偏差应为 0.05/1000。

6.6.3 传动机构安装应符合下列规定：

1 电机的纵向、横向中心线最大允许偏差应为 2.0mm,水平度最大允许偏差应为 0.2/1000；

2 主电机与减速机同轴度最大允许偏差应为 0.2mm。

6.6.4 试运转应符合下列规定：

1 无负荷试运转应符合本规范第 3.0.11 条的规定；

2 空载运行不得少于 5h,设备应无异常的噪声及振动。

6.7 振 动 筛

6.7.1 弹簧底座安装应符合下列规定：

1 应以偏心轴线为基准找正纵、横向中心线,最大允许偏差应为2.0mm;

2 应以其中一处弹簧底座顶面为基准找正标高,其允许偏差应为±2.0mm,其余各弹簧底座相对标高差绝对值不得大于2.0mm。

6.7.2 弹簧安装前,应检查弹簧的自由高度,弹簧的自由高度允许偏差应符合设备技术文件的要求。安装前应进行挑选排列,筛体安装后应检查弹簧压缩高度差。

6.7.3 箱体安装应符合下列规定：

1 箱体安装前,应首先将移动台车内的下部料斗安装完毕；料斗安装时,料料与箱体之间的缝隙应符合设备技术文件要求,设计无规定时应根据振幅确定；

2 振动筛的筛体应为整体吊装；筛体就位后,纵、横向中心线最大允许偏差应为3.0mm;筛体标高允许偏差应为±5.0mm;

3 用水平仪检查筛体的筛面并调整横向水平度,最大允许偏差应为1/1000。

6.7.4 移动小车轨道安装应符合下列规定：

1 纵向中心线最大允许偏差应为2.0mm;

2 轨道标高最大允许偏差应为2.0mm;

3 当轨距小于4000mm时,轨距允许偏差应为0～2.0mm；当轨距大于或等于4000mm时,轨距允许偏差应为0～3.0mm;

4 接头错位不得大于1.0mm。

6.7.5 传动装置安装应符合下列规定：

1 传动轴采用滑动轴承时,传动轴的轴向游动间隙宜为0.3mm～1.6mm;采用静动压轴承时,传动轴的轴向游动间隙应符合设备技术文件的规定；

2 偏心套安装前,检查偏心套表面,其装配后的间隙应符合设备技术文件的规定;

3 偏心套安装时,应将偏心套及齿轮表面清理干净并涂抹润滑油,再装入中心衬套内;

4 偏心套安装后,手动盘车转动齿轮副,应用着色法检查啮合接触情况,检查结果应符合设备技术文件规定。

6.7.6 试运转应符合下列规定:

1 无负荷试运转应符合本规范第 3.0.11 条的规定;

2 筛面应在调紧的状态下进行机械运转;

3 试运转时,振幅应符合设备技术文件的规定;

4 移动小车的车轮在运行时,应与轨道连续接触,不得悬空。

7 分级及选别设备

7.1 一般规定

7.1.1 本章适用于螺旋分级机、水力旋流器、细筛、磁选机、浮选机、重力选矿机等机械设备安装。

7.1.2 本章设备零部件的装配,应符合设备技术文件和现行国家标准《机械设备安装工程施工及验收通用规范》GB 50231 的有关规定。

7.2 螺旋分级机

7.2.1 水槽支座安装应符合下列规定:

1 支座安装就位并找正,纵向中心线最大允许偏差应为 3.0mm,横向中心线最大允许偏差应为 5.0mm;

2 调整支座标高与支座间高低差,支座标高允许偏差应为 ±5.0mm,支座间相对高低差不得大于 2.0mm;

3 支座上表面横向水平度最大允许偏差应为 1/1000。

7.2.2 水槽安装应符合下列规定:

1 纵、横向中心线调整应以中心标板为依据,最大允许偏差应为 3.0mm;

2 溢流堰的水平度最大允许偏差应为 1/1000;

3 尾部提升装置支架与槽底应垂直,垂直度最大允许偏差应为 1/1000;

4 水槽接口错位不得大于壁厚的 10%,水槽组装对角线最大允许偏差应为 10.0mm。

7.2.3 现场组装的双螺旋分级机传动机构(图 7.2.3)安装应符合下列规定:

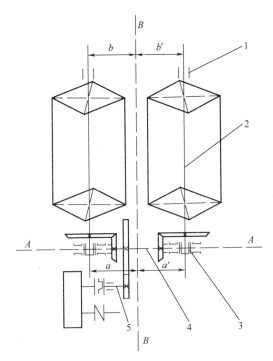

图 7.2.3 双螺旋分级机传动机构
1—尾部轴承;2—螺旋轴;3—十字头;4—圆锥齿轮轴;5—主传动轴

1 传动中心线 AA 对水槽横向中心线最大允许偏差应为 2.0mm;

2 圆锥齿轮轴水平度最大允许偏差应为 0.1/1000;

3 圆锥齿轮轴与分级机纵向中心线 BB 应垂直,垂直度最大允许偏差应为 0.2/1000;

4 传动中心线 AA 上各轴承同轴度最大允许偏差应为 0.2mm;安装螺旋时,圆锥齿轮啮合应符合设备技术文件要求;

5 两侧十字头瓦座与螺旋分级机纵向中心线 BB 的距离 a、a' 的允许偏差应为 ±1.0mm;

6 升降装置螺杆中心至螺旋分级机纵向中心线 BB 的距离 b、b' 的允许偏差应为±3.0mm；

　　7 主传动轴安装应符合传动正齿轮啮合的技术要求。

7.2.4 单螺旋分级机安装应符合本规范第7.2.3条的规定。

7.2.5 螺旋尾部轴承端盖与槽壁之间的间隙应符合设备技术文件的规定，无规定时其间隙不得小于5.0mm。

7.2.6 试运转应符合下列规定：

　　1 无负荷试运转应符合本规范第3.0.11条的规定；

　　2 升降装置全行程动作应为6次。

7.3 水力旋流器

7.3.1 设备安装应符合下列规定：

　　1 纵、横向中心线最大允许偏差应为5.0mm；

　　2 给矿管的中心标高允许偏差应为±10.0mm；

　　3 垂直度最大允许偏差应为1/1000；倾斜安装应按设备技术文件规定执行；

　　4 成组、成排安装时，相对位置差不应大于5.0mm；

　　5 有衬里的旋流器，不得在壳体上进行热切割和焊接。

7.3.2 试运转应符合本规范第3.0.11条的规定。

7.4 细　　筛

7.4.1 框架安装应符合下列规定：

　　1 纵、横向中心线最大允许偏差应为3.0mm；

　　2 标高允许偏差应为±5.0mm；

　　3 横向水平度最大允许偏差应为0.5/1000；

　　4 成排安装的细筛，各筛面平面相对差的最大允许偏差应为3.0mm；

　　5 筛面安装倾角应符合设计文件的规定；

　　6 筛面安装平面度最大允许偏差应为3.0mm，接头应顺流，错位不得大于 0.5mm。

7.4.2 试运转应符合下列规定：

1 无负荷试运转应符合本规范第 3.0.11 条的规定；

2 试运转时，振幅应符合设备技术文件的规定。

7.5 筒式磁选机

7.5.1 设备安装应符合下列规定：

1 纵、横向中心线最大允许偏差应为 3.0mm；

2 转筒安装标高允许偏差应为±5.0mm；安装在同一中心线上的磁选机，相对标高差不应大于 3.0mm；

3 转筒水平度最大允许偏差应为 0.3/1000，机架纵向水平度最大允许偏差应为 0.5/1000；

4 溢流堰全长高差不得大于 2.0mm。

7.5.2 试运转应符合下列规定：

1 无负荷试运转应符合本规范第 3.0.11 条的规定；

2 试运转前，槽体应清扫干净，转筒表面吸附物应清除干净；

3 运转时介质板不应松动；传动不得有卡阻和异常噪声；皮带传动不得啃边、打滑；

4 应按工艺要求调整磁系位置。

7.6 转笼式磁选机

7.6.1 机座安装应符合下列规定：

1 应以空心轴瓦座为基准调整机座纵、横向中心线，最大允许偏差应为 3.0mm；

2 标高允许偏差应为±5.0mm；

3 空心轴上瓦座的轴向水平度最大允许偏差应为 0.2/1000，径向水平度最大允许偏差应为 0.5/1000。

7.6.2 转笼式磁选机(图 7.6.2)安装应符合下列规定：

1 应以机座为基准调整纵、横向中心线，最大允许偏差应为

1.0mm;

2 磁极上表面 F_b 的标高对机座的相对标高最大允许偏差应为2.0mm；

3 磁极上表面水平度最大允许偏差应为0.2/1000。

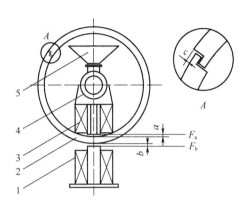

图 7.6.2 转笼式磁选机
1—下磁系；2—转笼；3—上磁系；4—空心轴；5—精矿槽

7.6.3 空心轴安装(图7.6.2)应符合下列规定：

1 水平轴安装的水平度最大允许偏差应为0.2/1000；

2 转笼与上、下磁系间的间隙 a、b 应采用塞尺检查，最大允许偏差应为1.0mm；

3 上、下磁系纵、横向中心线位置应重合，允许偏差应为±2.0mm；

4 上、下磁系两磁极表面 F_a 与 F_b 平行度采用塞尺、标准块检查，平行度最大允许偏差应为0.5mm。

7.6.4 转笼组装(本规范图7.6.2)应符合下列规定：

1 箅子接头错位 c 的最大允许偏差应为0.5mm；

2 转笼的径向圆跳动最大允许偏差应为1.0mm。

7.6.5 试运转应符合下列规定：

1 无负荷试运转应符合本规范第3.0.11条的规定；

2 试运转前,应将槽体清扫干净,转笼与磁系间的吸附物应清除干净;

3 运转时介质板不应松动;传动不得有卡阻和异常噪声;皮带传动不得啃边、打滑。

7.7 环式磁选机

7.7.1 电磁环式磁选机安装前,应按设备技术文件的要求对磁系的激磁线圈作耐压试验。

7.7.2 有冷却器的环式磁选机安装前,应按设备技术文件的要求对冷却器作严密性试验。

7.7.3 底梁安装应符合下列规定:

1 纵、横向中心线最大允许偏差应为 2.0mm;

2 标高的允许偏差应为±2.0mm;

3 立轴下轴承座纵、横向水平度最大允许偏差应为0.2/1000。

7.7.4 立轴安装应符合下列规定:

1 立轴垂直度、转盘水平度最大允许偏差应为 0.2/1000;

2 转盘与两磁极头之间的间隙,应符合设备技术文件的规定;

3 测量气隙时,测量一次后转盘应回转180°再测量一次,取其平均值进行比较,同轴度最大允许偏差应为 0.2mm;

4 转盘与磁极错位应符合设备技术文件的规定;

5 立轴轴向串动间隙应符合设备技术文件的规定。

7.7.5 上横梁安装应符合下列规定:

1 立轴的上轴承座水平度最大允许偏差应为 0.2/1000;

2 上横梁和底梁立轴的轴承镗孔同轴度最大允许偏差应为1.0mm。

7.7.6 试运转应符合下列规定:

1 无负荷试运转应符合本规范第3.0.11条的规定;

2 运转时介质板不应松动,传动不得有卡阻和异常噪声,皮带传动不得啃边、打滑；

3 电磁环式磁选机在接通激磁电源之前，应先空转1h，立轴应转动灵活，转盘不得卡阻；

4 应在转盘启动后再接通激磁电源，将电流逐步调整到额定值，气隙变化值应在设计文件规定范围内。

7.8 磁力脱水槽

7.8.1 设备安装应符合下列规定：

1 槽体纵、横向中心线最大允许偏差应为3.0mm；安装在同一条中心线上的脱水槽，直线度最大允许偏差应为3.0mm；

2 槽体标高允许偏差为±10.0mm；安装在同一条中心线上的脱水槽，相对标高差不得大于4.0mm；

3 槽体上口的溢流堰应在同一水平面内，平面度最大允许偏差应为4.0mm。

7.8.2 磁系组装应符合下列规定：

1 磁系应按设计要求排列，并应用不导磁材料塞紧，不得松动；

2 顶部磁系与导磁杆应接触良好；

3 磁系的安装应对称于槽体的中心，磁体与槽体同轴度最大允许偏差应为8.0mm。

7.8.3 脱水槽给矿桶的安装与槽体同轴度最大允许偏差应为6.0mm。

7.8.4 脱水槽排矿调整装置塞杆与阀座同轴度最大允许偏差应为2.0mm。

7.9 浮 选 机

7.9.1 设备安装应符合下列规定：

1 安装前应检查所有零件是否完整，并应进行校正和调整；

2 纵、横中心线最大允许偏差应为3.0mm；安装在同一条中

心线上的浮选机,直线度最大允许偏差应为3.0mm;

3 标高允许偏差应为±5.0mm;安装在同一条中心线上的浮选机,相对标高差不得大于3.0mm;

4 应在立轴皮带轮上测量水平度,纵、横向水平度最大允许偏差应为0.3/1000;

5 溢流堰高差不得大于5.0mm;各槽体联成后相对位置偏差不得大于5.0mm;刮板轴与溢流堰平面度最大允许偏差应为3.0mm;刮板轴各轴承同轴度最大允许偏差应为2.0mm。

7.9.2 槽体装配与安装应符合下列规定:

1 成排安装的浮选机,在槽体连成后溢流堰应水平,高差不得大于5.0mm,各槽相对位置偏差不得大于5.0mm;

2 槽体定位后应与安装垫板、平台或预埋件焊接在一起。

7.9.3 刮板机构安装应符合下列规定:

1 刮板回转轴各轴承同轴度最大允许偏差应为2.0mm;

2 溢流堰与刮板回转轴平行度最大允许偏差应为3.0mm;

3 刮板叶片和溢流堰之间的间隙应为4.0mm~6.0mm。

7.9.4 竖轴部分检查及传动装置安装应符合下列规定:

1 搅拌机构的转子与定子之间的径向和轴向间隙应符合设备技术文件的规定,并应确保转子空转时的灵活性;

2 竖轴传动装置安装时,应调整电动机位置,应使电动机皮带轮与主轴皮带轮保持在同一平面内,三角皮带达到涨紧程度。

7.9.5 中间室安装应符合下列规定:

1 中间室与槽体、闸门与中间室之间的接触应紧密无间隙;

2 矿浆液面调整闸板安装后应确保灵活。

7.9.6 试运转应符合下列规定:

1 无负荷试运转应符合本规范第3.0.11条的规定;

2 手动盘车应检查竖轴,转动应灵活,不得有卡阻现象;

3 竖轴和刮板转数应符合设计要求。

7.10 跳 汰 机

7.10.1 设备安装应符合下列规定：
    1 纵、横中心线最大允许偏差应为3.0mm；
    2 标高的允许偏差应为±5.0mm；
    3 槽体纵、横向水平度最大允许偏差应为0.5/1000；
    4 侧动式隔膜跳汰机的往复杆轴线与隔膜轴线同轴度最大允许偏差应为4.0mm；
    5 双列侧动式隔膜跳汰机两侧鼓动盘的两个连接杆轴线应在同一水平面内，其水平度最大允许偏差应为4.0mm。

7.10.2 筛框安装时，筛面纵、横向水平度最大允许偏差应为1.5/1000。

7.10.3 试运转应符合下列规定：
    1 无负荷试运转应符合本规范第3.0.11条的规定；
    2 最大冲程运转不得少于2h。

7.11 摇 床

7.11.1 床头安装应符合下列规定：
    1 纵、横向中心线最大允许偏差应为3.0mm；
    2 标高的允许偏差应为±5.0mm；
    3 纵、横水平度最大允许偏差应为0.3/1000。

7.11.2 支撑座安装应符合下列规定：
    1 各支撑座纵、横向中心线至摇床头中心线的距离允许偏差应为±1.0mm；各支撑座相对位置差不得大于1.0mm；
    2 各支撑座摇床头相对标高差不得大于2.0mm；各支撑座相对标高差不得大于1.0mm；
    3 纵、横向水平度最大允许偏差应为0.5/1000。

7.11.3 床头传动中心线与床面回程弹簧中心线应一致，直线度最大允许偏差应为0.5mm。

7.11.4 摇床调坡机构在最低处时,床面应在水平位置。

7.11.5 可调床面在安装就位前应按设备技术文件要求调平。

7.11.6 试运转应符合下列规定:

　　1 无负荷试运转应符合本规范第3.0.11条的规定;

　　2 试运转时,应按设备技术文件的要求调节床面回程弹簧的初紧力,回程弹簧应调节适度,运转平稳。

7.12 离心选矿机

7.12.1 设备安装应符合下列规定:

　　1 纵、横向中心线最大允许偏差应为3.0mm;安装在同一条中心线上的离心选矿机,直线度最大允许偏差应为3.0mm;

　　2 标高的允许偏差应为±5.0mm;安装在同一条中心线上的离心选矿机,相对标高差不得大于3.0mm;

　　3 转鼓轴向水平度最大允许偏差应为0.2/1000,机架横向水平度最大允许偏差应为0.5/1000。

7.12.2 给、排矿器安装应符合下列规定:

　　1 纵、横向中心线最大允许偏差应为5.0mm;

　　2 标高的允许偏差应为±10.0mm;

　　3 支架安装垂直度最大允许偏差应为1/1000;

　　4 给水嘴、给矿嘴的安装位置应符合设计文件的规定。

7.12.3 机械式时间分配装置的传动轴水平度最大允许偏差应为0.2/1000。

7.12.4 试运转应符合下列规定:

　　1 无负荷试运转应符合本规范第3.0.11条的规定;

　　2 时间分配装置的调整应使离心选矿机的给矿、断矿和冲矿的时间以及动作顺序符合工艺要求;

　　3 每台离心选矿机的时间分配装置应连续试验5次,程序应准确。

7.13 螺旋选矿机、螺旋溜槽

7.13.1 设备安装应符合下列规定：

1 纵、横中心线最大允许偏差应为3.0mm；安装在同一条中心线上的螺旋选矿机，直线度最大允许偏差应为3/1000；

2 标高允许偏差应为±10.0mm；安装在同一条中心线上的螺旋选矿机相对标高差不得大于3.0mm。

7.13.2 立柱的安装应符合下列规定：

1 立柱侧弯曲度不得大于1/1000，且全长最大弯曲不得大于5.0mm；

2 立柱垂直度最大允许偏差应为1/1000，且不得大于5.0mm。

7.13.3 螺旋槽组装应符合下列规定：

1 工作面应平滑，接口应顺流、严密不漏水，错位不得大于0.5mm；

2 螺距允许偏差应为±3.0mm。

7.13.4 安装完毕后应进行通水试验，水的流膜应平稳。

8 脱 水 设 备

8.1 一 般 规 定

8.1.1 本章适用于中心传动式、周边传动式浓缩机,内、外滤式过滤机,压滤机的安装。

8.1.2 本章设备零部件的装配,应符合设备技术文件和现行国家标准《机械设备安装工程施工及验收通用规范》GB 50231 的有关规定。

8.2 中心传动式浓缩机

8.2.1 传动支撑架安装应符合下列规定:
 1 纵、横中心线最大允许偏差应为 2.0mm;
 2 标高允许偏差应为±2.0mm;
 3 纵、横向水平度最大允许偏差应为 1/1000。

8.2.2 传动减速器安装应符合下列规定:
 1 纵、横中心线最大允许偏差应为 4.0mm;
 2 传动减速器与池体标高相对差不得大于 2.0mm;
 3 纵、横向水平度最大允许偏差应为 0.3/1000。

8.2.3 耙齿在圆周内与池底的间隙应符合设计规定。

8.2.4 试运转应符合下列规定:
 1 无负荷试运转应符合本规范第 3.0.11 条的规定;
 2 耙齿回转不得触碰池壁、池底;
 3 提升机构应往复试验 5 次;
 4 滚轮与轨道在圆周各点均应接触,不得悬空、打滑、啃道。

8.3 周边传动式浓缩机

8.3.1 中心转盘座安装应符合下列规定:

1 中心最大允许偏差应为 2.0mm;
2 标高允许偏差应为 0~10.0mm;
3 水平度最大允许偏差应为 0.1/1000。

8.3.2 转盘圆周轨道安装应符合下列规定:

1 轨道直径小于 45000mm 时,中心线允许偏差应为 ±8.0mm;轨道直径大于或等于 45000mm 时,中心线允许偏差应为 ±12.0mm;

2 轨道顶面任意点对中心转盘座相对标高差不得大于 5.0mm,且轨道面水平度最大允许偏差应为 0.4/1000;

3 轨道接头处高差不得大于 0.5mm,端面错位不得大于 1.0mm,接头处间隙宜为 2.0mm~4.0mm,且应与齿条接头错开。

8.3.3 周边齿条安装应符合下列规定:

1 齿顶面至轨道顶面距离允许偏差应为 －2.0mm~0;
2 齿条与轨道的中心距离允许偏差应为 ±2.0mm;
3 齿条接头间隙应以保证齿的周节为准,间隙值宜为 1.0mm~2.0mm;
4 齿条接头处周节允许偏差应为 ±1.0mm;
5 齿顶面水平度最大允许偏差应为 0.4/1000。

8.3.4 耙架及传动机构组装应符合下列规定:

1 耙架横向水平度最大允许偏差应为 1/1000;
2 耙架平面翘曲,全长不得大于 10.0mm,宽度方向不得大于 3.0mm;
3 传动机构的组装位置应在轨道安装半径偏差最小处进行;
4 传动桁架横向水平度最大允许偏差应为 1/1000;
5 齿轮与齿条宽度的中心、滚轮与轨道宽度的中心应重合;浓缩池直径小于 30000mm 时,中心线允许偏差应为 ±3.0mm;浓缩池直径大于或等于 30000mm 时,中心线允许偏差应为 ±5.0mm;
6 在齿条一周上,啮合沿齿长平均应大于 40%。

8.3.5 周边传动式浓缩机试运转应按本规范第8.2.4条的规定执行。

8.4 筒型内滤式真空过滤机

8.4.1 托轮滚圈摩擦传动式过滤机安装应符合下列规定：
   1 支柱的纵、横中心线最大允许偏差为3.0mm；
   2 支柱标高允许偏差应为±5.0mm；
   3 纵、横向水平度最大允许偏差为0.2/1000。

8.4.2 托轮滚圈摩擦传动式过滤机筒体安装应符合下列规定：
   1 筒体水平度最大允许偏差应为0.3/1000；
   2 滚圈与托轮的接触长度不得小于总长度的75%。

8.4.3 托轮滚圈摩擦传动式过滤机卸料装置安装应符合下列规定：
   1 相对于筒体的纵、横向中心线最大允许偏差应为5.0mm；
   2 相对于筒体标高差不得大于5.0mm；
   3 运输机架纵、横向水平度最大允许偏差应为1/1000。

8.4.4 机械啮合传动式过滤机主轴承座安装应符合下列规定：
   1 纵、横向中心线最大允许偏差为3.0mm；
   2 标高允许偏差应为±5.0mm；
   3 主轴轴瓦的轴向水平度最大允许偏差应为0.1/1000，径向水平度最大允许偏差应为0.2/1000。

8.4.5 机械啮合传动式过滤机托辊安装应符合下列规定：
   1 托辊的横向中心线至主轴承座中心的距离允许偏差应为±2.0mm；
   2 托辊横向中心线与筒体轴线垂直度最大允许偏差应为0.3/1000；
   3 托辊对主轴承座相对标高差不得大于2.0mm；
   4 托辊轴向水平度最大允许偏差应为0.2/1000；
   5 两托辊上表面水平度最大允许偏差应为0.2/1000。

8.4.6 机械啮合传动式过滤机筒体安装应符合下列规定：
　　1 主轴水平度最大允许偏差应为0.1/1000；
　　2 托辊与滚圈接触长度不得小于总长度的75%；
　　3 主轴轴瓦接触角应为70°～90°，在每25mm×25mm面积内不得少于2个点。

8.4.7 应检查真空过滤机分配头的错气盘与分配盘的严密性，其接触面上的接触点在每10mm×10mm面积内不得少于3点。

8.4.8 机械啮合传动式过滤机卸料装置安装应符合下列规定：
　　1 相对于筒体的纵、横向中心线最大允许偏差应为5.0mm；
　　2 相对于筒体的标高差不得大于5.0mm；
　　3 运输机架纵、横向水平度最大允许偏差应为1/1000。

8.4.9 试运转应符合下列规定：
　　1 无负荷试运转应符合本规范第3.0.11条的规定；
　　2 应由低速到高速分档逐级试验，最高转速运转时间不得少于2h；
　　3 滚圈径向跳动允许偏差不得大于4.0mm。

8.5 外滤式过滤机

8.5.1 筒型外滤式真空过滤机、真空永磁过滤机、圆盘真空过滤机及陶瓷过滤机的安装应符合下列规定：
　　1 纵、横中心线最大允许偏差应为5.0mm；
　　2 支柱标高允许偏差应为±5.0mm；
　　3 主轴水平度最大允许偏差应为0.2/1000，横向水平度最大允许偏差应为0.3/1000。

8.5.2 筒型外滤式过滤机卸矿刮料刀与筒体间隙在筒体全长内应均匀，间隙宜为2.0mm～7.0mm。

8.5.3 真空永磁过滤机盛料箱与筒体过滤面的间隙在筒体全长内应均匀，间隙不得小于5.0mm。

8.5.4 钢丝缠绕装置的丝杆应与筒体平行，平行度最大允许偏差应为 0.2/1000。

8.5.5 安装在基础上的搅拌器传动装置安装应符合下列规定：

1 纵、横向中心线至过滤机筒体中心线距离允许偏差应为 ±2.0mm；

2 传动轴与筒体中心相对标高差应为 ±2.0mm；

3 纵向水平度最大允许偏差应为 0.2/1000，横向水平度最大允许偏差应为 0.3/1000；

4 搅拌器的搅拌叶片与槽体的间隙应符合设备技术文件的规定，其允许偏差应为设计值的 ±20%。

8.5.6 圆盘真空过滤机安装完毕后，应转动空心轴，并应将连接各段轴的通轴长螺栓依次拧紧。

8.5.7 连接分配头的滤液管应设有单独支架，分配头不得承受管道的重力。

8.5.8 滤布的铺放及固定应符合设备技术文件规定。

8.5.9 应检查错气盘与分配盘的严密性，其接触面上的接触点在每 10mm×10mm 面积内不得少于 3 点。

8.5.10 试运转应符合下列规定：

1 无负荷试运转应符合本规范第 3.0.11 条的规定；

2 由低速到高速分档逐级试验，最高转速运转时间不得少于 2h；

3 筒型外滤式真空过滤机过滤筒径向跳动最大允许偏差应为 5.0mm；圆盘真空过滤机盘端面跳动最大允许偏差应为 7.0mm；

4 瞬时吹风装置的工作相位及过滤动作程序应满足过滤工艺要求；

5 真空永磁过滤机试运转前，槽体应清扫干净，筒体表面吸附物应清除干净。

8.6 压 滤 机

8.6.1 板框式压滤机、箱式压滤机的安装应符合下列规定：

1 纵、横中心线最大允许偏差应为 3.0mm；

2 标高允许偏差应为±5.0mm。

8.6.2 机架主梁轨道的水平度及直线度应符合下列规定：

1 主梁轨道不得下挠,纵向最大允许偏差应为 0.2/1000,且不得大于 3.0mm；

2 横向最大允许偏差应为 0.15/1000。

8.6.3 机架主梁轨道间的平行度最大允许偏差应为 0.15/1000,且不得大于 3.0mm。

8.6.4 液压系统压力试验应符合现行国家标准《冶金机械液压、润滑和气动设备工程施工规范》GB 50730 的有关规定。

8.6.5 试运转应符合下列规定：

1 无负荷试运转应符合本规范第 3.0.11 条的规定；

2 液压缸应反复进行 10 次～20 次拉紧、松开试验,各活塞杆伸出的同步精度不应大于 1%；

3 滤板安装后,压滤机应反复试验 3 次～5 次,滤板移动应灵活可靠。

9 给矿排矿设备

9.1 一 般 规 定

9.1.1 本章适用于给矿排矿机械设备安装。

9.1.2 本章设备零部件的装配,应符合设备技术文件和现行国家标准《机械设备安装工程施工及验收通用规范》GB 50231 的有关规定。

9.2 矿车翻车机

9.2.1 底座安装应符合下列规定:

1 纵向中心线最大允许偏差应为 1.0mm,横向中心线最大允许偏差应为 2.0mm;

2 水平度最大允许偏差应为 0.5/1000;

3 标高允许偏差应为±2.0mm。

9.2.2 矿车翻车机(图 9.2.2)安装应符合下列规定:

1 应以矿车翻车机轴线 CC、DD 为基准,宜先找正驱动托辊,并应以驱动托辊为基准找正非驱动托辊;

2 调整驱动托辊与非驱动托辊水平度,宜在托辊表面检验轴线方向水平,最大允许偏差应为 0.2/1000;标高允许偏差应为 ±2.0mm;

3 宜先调整驱动托辊至中心线 DD 的距离 a,允许偏差应为 ±2.0mm;再调整非驱动托辊至驱动托辊间距 b,允许偏差应为 ±1.0mm;

4 调整同侧的驱动托辊及非驱动托辊同轴度,最大允许偏差应为 1.0mm。

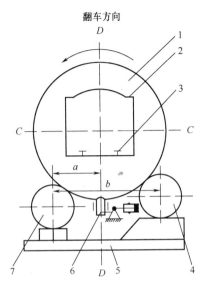

图 9.2.2 矿车翻车机
1—回转体;2—上挡铁;3—轨道;4—非驱动托辊;
5—底座;6—定位装置;7—驱动托辊

9.2.3 回转体安装应符合下列规定:

1 端盘组装直径允许偏差应为±4.0mm;端盘平面度最大允许偏差应为2.0mm;

2 调整组装后回转体长度,单车允许偏差应为±3.0mm,双车允许偏差应±7.0mm;

3 调整两端盘平行度,最大允许偏差应为2.0mm;

4 调整零位时定位销两侧间隙差,最大允许偏差应为1.0mm;

5 以旋转轴线为基准,调整轨道顶面至回转中心距离,允许偏差应为±2.0mm;调整轨道顶面至上挡铁距离,允许偏差应为±5.0mm;两轨道的高度差最大允许偏差应为1.0mm。

9.2.4 矿车翻车机辅助设备安装应符合下列规定:

1 矿车翻车机辅助设备应在制造厂进行预组装,应符合图纸

及设备技术文件的要求;

2 各机构的润滑装置应在制造厂预组装;

3 预组装后,分解部件应有明显标志,以便现场安装;

4 矿车翻车机辅助设备安装应按本规范第 9.2.1 条的规定执行。轨道与矿车翻车机主体内轨道应平滑过渡,高低差及中心距最大允许偏差应为 0.5mm。

9.3 板式给矿机

9.3.1 底座安装应符合下列规定:

1 纵、横向中心线最大允许偏差应为 2.0mm;

2 标高允许偏差应为 -0.5mm~0;

3 纵、横向水平度最大允许偏差应为 1/1000;

4 倾斜式两轴相对高度最大允许偏差应为 2.0mm。

9.3.2 板式给矿机(图 9.3.2)安装应符合下列规定:

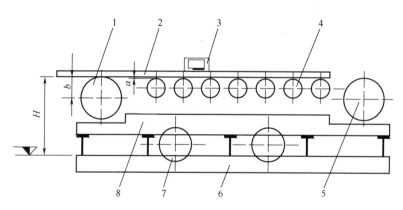

图 9.3.2 板式给矿机
1—链轮轴;2—平尺;3—水平仪;4—托辊;5—张紧轮;6—底座;7—下托辊;8—机架

1 纵、横向中心线最大允许偏差应为 2.0mm;托辊母线标高 H 允许偏差应为 ±2.0mm;

2 以托辊上表面为基准,调整托辊轴向水平度,最大允许偏

差应为0.15/1000;调整托辊组纵向水平度并使用平尺检测,最大允许偏差应为0.15/1000;

3 托辊母线平面度 a 最大允许偏差应为0.2mm;托辊与纵向中心线垂直度最大允许偏差应为1/1000。

9.3.3 链轮轴安装应符合下列规定:

1 纵、横向中心线最大允许偏差应为2.0mm;

2 纵、横向中心线与机架中心线间距最大允许偏差应为2.0mm;

3 中心线托辊上母线高度差 b(图9.3.2)允许偏差应为±1.0mm;

4 轴向水平度最大允许偏差应为0.15/1000;轴对纵向中心线垂直度最大允许偏差应为0.15/1000。

9.3.4 尾部张紧轮安装应符合下列规定:

1 托辊母线与轴线垂直度最大允许偏差应为1/1000;

2 轴向水平度最大允许偏差应为0.15/1000。

9.3.5 槽板安装应符合设计文件的规定。设计无规定时,应调整链轮组装并空转后焊接槽板,槽板与纵向中心线的垂直度最大允许偏差应为1/1000。

9.4 电磁、电机振动给矿机

9.4.1 应清除铁芯与衔铁间气隙中的污物,并应按设计文件的规定调整气隙间隙,设计无规定时最大允许偏差应为1.0mm。

9.4.2 设备安装应符合下列规定:

1 纵、横向中心线最大允许偏差应为5.0mm;标高允许偏差应为±5.0mm;横向水平度最大允许偏差应为0.15/1000;

2 两连接板或推力板至槽体中心线距离允许偏差应为±2.0mm;

3 应按设备技术文件的要求调整安装倾角及弹簧尺寸。

9.4.3 设备满足安装精度要求后,应逐一检查连接螺栓并应按设计文件要求紧固。

9.5 圆盘给矿机

9.5.1 设备安装时，纵、横向中心线最大允许偏差应为2.0mm；纵、横向水平度最大允许偏差应为0.5/1000。

9.5.2 设备标高允许偏差应为±2.0mm。

9.6 槽式给矿机

9.6.1 设备安装时，纵、横向中心线最大允许偏差应为2.0mm；标高允许偏差应为±2.0mm；托辊轴轴向水平度最大允许偏差应为0.5/1000。

9.6.2 托辊顶面标高差最大允许偏差应为0.5mm。

9.6.3 连杆中心线与槽体中心线距离最大允许偏差应为2.0mm。

9.6.4 减速机水平度最大允许偏差应为0.2/1000。

9.7 链式、摆式给矿机

9.7.1 设备安装时，纵、横向中心线最大允许偏差应为2.0mm；横向水平度最大允许偏差应为0.5/1000。

9.7.2 设备标高允许偏差应为±2.0mm。

9.8 排矿闸阀

9.8.1 设备安装时，闸门纵、横向中心线最大允许偏差应为5.0mm；闸门轴水平度最大允许偏差应为1/1000。

9.8.2 设备标高允许偏差应为±10.0mm。

9.9 给矿排矿设备试运转

9.9.1 给矿排矿设备无负荷试运转应符合本规范第3.0.11条的规定。

9.9.2 矿车翻车机无负荷试运转时,应正常翻转3次～5次,回零位应平稳,轨道对位应准确。

9.9.3 矿车翻车机空车试运转时,应将各型空敞车分别拨入矿车翻车机。分步试运转应3次～5次,各机构应运转正常,各限位开关应位置准确、工作正常。

9.9.4 板式给矿机试运转时,链带应无跑偏现象,运动构件与槽体和罩子应无卡阻现象。

9.9.5 排矿闸门试运转时,开闭次数不得少于3次,闸门启闭应无卡阻现象。

9.9.6 振动给矿机试运转时,给料槽双振幅应符合设备技术文件的规定,设备技术文件无规定时应为1.50mm～1.75mm。

本规范用词说明

1 为便于在执行本规范条文时区别对待,对要求严格程度不同的用词说明如下:

1)表示很严格,非这样做不可的:

正面词采用"必须",反面词采用"严禁";

2)表示严格,在正常情况下均应这样做的:

正面词采用"应",反面词采用"不应"或"不得";

3)表示允许稍有选择,在条件许可时首先应这样做的:

正面词采用"宜",反面词采用"不宜";

4)表示有选择,在一定条件下可以这样做的,采用"可"。

2 条文中指明应按其他有关标准执行的写法为:"应符合……的规定"或"应按……执行"。

引用标准名录

《混凝土结构工程施工质量验收规范》GB 50204
《机械设备安装工程施工及验收通用规范》GB 50231
《工业金属管道工程施工规范》GB 50235
《冶金机械液压、润滑和气动设备工程施工规范》GB 50730

中华人民共和国国家标准

选矿机械设备工程安装规范

GB/T 51075-2015

条文说明

制 订 说 明

《选矿机械设备工程安装规范》GB/T 51075—2015,经住房和城乡建设部2014年12月31日以701号公告批准发布。

为便于广大设计、施工、科研和教学等单位在使用本规范时能正确理解和执行条文规定,《选矿机械设备工程安装规范》编制组按章、节、条顺序编制了本规范的条文说明,对条文规定的目的、依据以及执行中需注意的有关事项进行了说明。但是,本条文说明不具备与规范正文同等的法律效力,仅供使用者作为理解和把握规范规定的参考。

目 次

1 总 则 …………………………………………… (51)
3 基本规定 ……………………………………… (52)
4 设备基础、地脚螺栓和垫板 ………………… (53)
　4.1 一般规定 ………………………………… (53)
　4.2 设备基础 ………………………………… (53)
　4.3 地脚螺栓 ………………………………… (53)
　4.4 垫板 ……………………………………… (54)
5 设备和材料进场 ……………………………… (55)
　5.2 设备 ……………………………………… (55)
　5.3 材料 ……………………………………… (55)
6 破碎粉磨及筛分设备 ………………………… (56)
　6.2 颚式破碎机 ……………………………… (56)
　6.3 旋回破碎机 ……………………………… (56)
　6.4 圆锥破碎机 ……………………………… (56)
　6.5 磨矿机 …………………………………… (56)
　6.6 高压辊磨机 ……………………………… (57)
　6.7 振动筛 …………………………………… (57)
7 分级及选别设备 ……………………………… (58)
　7.2 螺旋分级机 ……………………………… (58)
　7.3 水力旋流器 ……………………………… (58)
　7.4 细筛 ……………………………………… (58)
　7.5 筒式磁选机 ……………………………… (58)
　7.7 环式磁选机 ……………………………… (58)
　7.8 磁力脱水槽 ……………………………… (58)

7.9　浮选机 …………………………………………………（58）
　　7.10　跳汰机 ………………………………………………（59）
　　7.11　摇床 …………………………………………………（59）
8　脱水设备 ……………………………………………………（60）
　　8.3　周边传动式浓缩机 ……………………………………（60）
　　8.4　筒型内滤式真空过滤机 ………………………………（60）
　　8.5　外滤式过滤机 …………………………………………（60）
9　给矿排矿设备 ………………………………………………（61）
　　9.2　矿车翻车机 ……………………………………………（61）
　　9.3　板式给矿机 ……………………………………………（61）

1 总　　则

1.0.1 本条阐明了制定本规范的目的。

1.0.2 本条明确了本规范适用的范围。

1.0.3 本条反映了其他相关标准、规范的作用。选矿机械设备工程安装涉及工程技术及安全环保等方面,且选矿机械设备工程安装中除专业设备外,还有液压、气动和润滑设备、起重设备、连续运输设备、除尘设备、通用设备、各类介质管道制安、工艺钢结构制安、防腐、绝热等。因此,选矿机械设备工程安装施工除应执行本规程外,尚应符合现行国家有关标准的规定。

3 基本规定

3.0.3 施工过程中,经常会遇到需要修改设计的情况,本条文明确规定,施工单位无权任意修改设计图纸,施工中发现的施工图纸问题,应及时与建设单位和设计单位联系,修改施工图纸应有设计单位的设计变更正式手续。

3.0.4 如果安装中使用未经计量检定的不合格的计量器具,会给工程质量造成难以预料的严重后果,也会给企业带来经济损失,为此本条强调选矿机械设备工程安装应使用经计量检定、校准合格的计量器具。此外,计量器具的精度要与质量标准的精度相匹配,其等级应符合质量标准的要求。

3.0.8 与选矿机械设备安装工程相关的专业很多,如土建专业、电气专业等。各专业之间应按规定的程序进行交接,如土建基础完工后交设备安装,各专业之间交接时,应进行检验,形成质量记录。

3.0.9 选矿机械设备工程安装中的隐蔽工程主要是指设备的二次灌浆、变速箱的封闭、大型轴承座的封闭等。二次灌浆是在设备安装完成,验收合格后,对基础和设备底座间进行灌浆,二次灌浆的灌浆料及操作程序应符合设计文件和现行国家标准《机械设备安装工程施工及验收通用规范》GB 50231 的规定。

4 设备基础、地脚螺栓和垫板

4.1 一般规定

4.1.2 因选矿设备重量较大(如破碎设备),且在生产运行时振动很大,设计单位根据地质情况确定是否应对设备基础做沉降观测的规定。

4.2 设备基础

4.2.1 设备安装前,设备安装单位和设备基础施工单位应进行基础交接,且基础施工单位在交接资料中应提供主要设备基础的沉降观测记录及设备基础测量记录,测量记录中应给出基础的标高、设备的纵、横中心线及预埋地脚螺栓孔的位置等。设备安装单位对已交接的设备基础进行复测,合格后方可安装设备。

4.2.3 本条规定的检查项目应在设备吊装就位前完成。

4.2.5 设备安装前,应按施工图和测量控制网确定设备安装基准线。所有设备安装的平面位置和标高,均应以确定的安装基准线为准进行测量。主体设备和连续生产线应埋设永久中心线标板和标高基准点,使安装施工和今后维修均有可靠的基准。

4.3 地脚螺栓

4.3.1 选矿机械设备的地脚螺栓,在设备生产运行时受冲击力,涉及设备的安全使用功能。因此,地脚螺栓的规格和紧固应符合设计要求。地脚螺栓拧紧后,垫圈与设备之间应接触紧密,施工图明确规定了紧固力值的地脚螺栓,应按规定进行紧固,使用专用工具(如螺栓拉伸器等)操作,并有紧固记录。

4.4 垫 板

4.4.1 有些设备的垫板设置,在施工图或设备技术文件中有专门要求。在现行国家标准《机械设备安装工程施工及验收通用规范》GB 50231中对垫板的设置也有明确的规定。

5 设备和材料进场

5.2 设 备

5.2.1 设备安装前,设备开箱检验是十分重要的,建设单位或总承包单位、监理、施工单位及设备制造商等各方代表均应参加,并应形成验收记录。收验内容主要有:箱号、设备名称、设备型号、设备规格、设备数量、设备表面质量、有无缺损件等。设备应有质量合格证明文件,进口设备应通过国家商检部门的鉴定,具有商检合格的证明文件。以上文件为复印件时,应注明原件存放处,并有抄件人签字和单位盖章。

5.2.2 随机文件、备品备件、专用工具等在开箱后应清点并形成清单,待设备安装完毕后移交给业主单位。

5.3 材 料

5.3.1 选矿机械设备安装工程中所涉及的原材料、标准件等进场应进行验收,产品质量合格证明文件应全数检查。证明文件为复印件时,应注明原件存放处,并有经办人签字。有的材料,设计或现行国家有关标准规定了要进行复验和检验抽查比例的,应符合设计或现行国家有关标准规定,一般实物宜按 1% 比例且不少于 5 件进行抽查,验收记录应包括材料规格,进场数量材质证明,用在何处,外观质量等内容。

设计文件或现行国家有关标准要求复验的材料、标准件,应按要求进行复验。

6 破碎粉磨及筛分设备

6.2 颚式破碎机

6.2.1 本文螺栓预紧力因设备大小、结构的不同是不相同的,应符合设计技术文件规定,对预紧力方法本条文不做具体规定。原验收规范中:"结合面的接触应紧密,当螺栓未拧紧时,局部间隙不应大于0.1mm,边缘间隙每段长度不应大于结合面边缘总长度的10%。"本规范中未收入,此条规定是针对制造厂的要求。但因螺栓紧固后此间隙不能消除。

6.3 旋回破碎机

6.3.1 本条第2款强调了由于破碎机的型号、规格不同,其动锥偏心轴套与衬套及衬套与中心套筒的结构也不尽相同,因此其装配应符合设备技术文件的规定。

本条第3、4款强调了锥体与衬板之间浇铸锌合金或水泥,既保证了锥体与衬板紧密结合,又起到了缓冲作用。

6.4 圆锥破碎机

6.4.1 本条第5款强调了传动轴的相关间隙和尺寸的调整,直接影响到破碎机传动系统的精度,其要求在随机技术文件中应有规定,安装时应按其要求调整正确。

6.5 磨 矿 机

本节适用于球磨机、棒磨机、砾磨机、自磨机及半自磨机的安装。

6.5.1 由于此类磨机的两个主轴承底板为分离的,单独装在基础上,且部分磨机的筒体为分段拼接,所以两主轴承底板之间的距离应按筒体与中空轴组装后的实测尺寸来确定其距离,其中有温度要求的,还应考虑热膨胀的伸长量,使中空轴的轴肩与轴承不至发生摩擦现象。

6.5.6 本条第1款规定对现场组装的筒体在组装前应对原制造质量进行复检,以便控制现场组装的质量,否则制造与现场组装问题混淆不清。

本条第2款规定在筒体与端盖组装时,结合面清理干净并禁止使用密封垫,防止筒体与端盖之间局部出现缝隙,发生漏料现象;禁止涂抹润滑脂,防止筒体与端盖之间的摩擦系数减小,导致在重载情况下结合面发生相对位移。

6.5.7 本条第2款两中空轴的上母线相对标高差,可用精密水准仪检测,安装水平可用水平仪在中空轴上母线上检测。

本条第3款由于两中空轴间距较大,且两中空轴之间有直径较大的筒体,不易直接检测其直线度;由于两中空轴直线度存在偏差,设备运转时会导致球面轴承发生自定心摆动。可用百分表测量球面轴承端面跳动数值,间接检测两中空轴直线度。

6.5.9 本条第2款规定的目的是防止衬板之间环形间隙中填充料被物料磨损后,发生物料损坏筒体和渗漏现象。其中木楔堵塞属于湿法作业,铁楔、水泥堵塞属于干法作业。

本条第3款规定固定衬板的螺栓应垫密封垫料和垫圈,是为了防止漏出矿浆和矿粉。

6.6 高压辊磨机

6.6.1 由于此类磨机属于高转数精密设备,所以本条第1款规定对底座与垫铁接触面的间隙及接触面积要求较高。

6.7 振 动 筛

本节适用于圆振动筛、直线振动筛和复合振动筛安装。

7 分级及选别设备

7.2 螺旋分级机

本节适用于高堰式、沉没式单、双螺旋分级机安装。螺旋洗矿机可参照执行。

7.3 水力旋流器

本节适用于水力旋流器和重介质旋流器安装。

7.4 细　　筛

本节适用于双轴直线振动细筛、单轴圆振动细筛、电磁振动细筛、立式圆筒细筛等安装。

7.5 筒式磁选机

本节适用于永磁筒式、电磁筒式及多梯度筒式磁选机等安装。

7.7 环式磁选机

本节适用于湿式单、双平环永磁或电磁高磁磁选机安装。

7.8 磁力脱水槽

本节适用于顶部磁系和塔形磁系的永磁磁力脱水槽安装。

7.9 浮　选　机

本节适用于机械搅拌叶轮式、充气式及棒形浮选机安装。搅拌槽的安装可参照执行。

7.10 跳 汰 机

本节适用于旁动式、下动式、侧动式矿用隔膜跳汰机等安装。

7.11 摇 床

本节适用于平面单层、双层、多层摇床安装。

8 脱水设备

8.3 周边传动式浓缩机

本节适用于周边齿条传动式、滚轮式、胶轮式浓缩机安装。

8.3.2 浓缩机向大型化发展,把轨道直径大于45m允许偏差做了规定。

8.3.3 本条第1款规定齿顶面至轨道顶面距离允许偏差应为负值,为防止齿条承受设备本体的重力而造成齿条异常磨损。

8.4 筒型内滤式真空过滤机

本节适用于托轮滚圈摩擦传动和机械啮合传动的筒型内滤式真空过滤机安装。

8.5 外滤式过滤机

本节适用于筒型外滤式真空过滤机、真空永磁过滤机、圆盘真空过滤机、陶瓷过滤机的安装。

9 给矿排矿设备

9.2 矿车翻车机

本节适用于单车翻车机、双车翻车机、三车翻车机、O型翻车机及C型翻车机的安装。

9.2.2 本条第1款规定宜先调整驱动托辊,再以驱动托辊为基准调整非驱动托辊,避免出现安装累计误差。

9.3 板式给矿机

9.3.2 本条第2款规定在托辊轴向的水平度合格时,还应检测托辊间的标高差。轴向水平度用水平仪检测,标高差用水准仪或平尺检测。